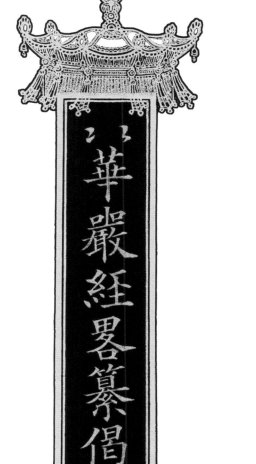

華嚴経畧纂偈

다길 김경호

불자들아,

항상 한결같은 마음으로 대승의 경과 율을 받아 지니고 읽고 외우며, 가죽을 벗겨서 종이를 삼고、뼛 속의 기름으로 벼루의 물을 삼고、뼈를 쪼개어 붓을 삼아서 부처님의 계를 사경하여야 하며、나무껍질과 종이와 비단과 흰 천과 대에 사경하여 지니되 칠보와 좋은 향과 온갖 보배로 주머니나 함을 만들어 경전과 율문을 보관해야 하느니라.

이같이 법답게 공양하지 아니하면 죄가 되느니라.

〈범망경 보살계본〉

다길 김경호 쓴 전통사경 2

화엄경 약찬게
의상조사법성게
화엄일승법계도
제1부

대한불교조계종
제19교구본사 智異山大華嚴寺

발 간 사

30여년 前 출가하기 위해 華嚴도량에 들어서면서 모든 것이 낯설었던 시간이 생각납니다. 조석예불마다 覺皇殿 부처님의 장엄한 모습에서 出家本分事를 되돌아보았다면 언제나 편안하게 다가오던 보제루의 華藏이라는 두 글자는 華嚴行者의 어려움을 견뎌낸 어머니의 품과도 같은 추억이었습니다. 그리고 기억에 남은 또 하나의 장면은 도량 한 구석에 수북하게 쌓여서 잊혀진 歷史로만 존재했던 華嚴石經의 破片들이었습니다. 언젠가는 좋은 인연들의 願力을 하나로 모아 華藏世上의 근본도량으로 丈六殿 華嚴石經을 復元하리라는 꿈같은 誓願을 세워본 시절이었습니다.

경자년 새해를 맞아 신라백지묵서화엄경과 화엄석경의 오랜 사경 전통이 살아있는 華嚴寺에서 그 誓願의 첫걸음으로 傳統寫經院을 개원하면서 국내 최고의 寫經法師이신 김경호 선생님을 모시고 사경강좌를 개설하게 된 것은 문수보살이 선재동자에게 맺어준 善根因緣功德이라 생각합니다. 寫經은 단순하게 부처님의 말씀을 글자로 옮겨 쓰는 일이 아니라 부처님의 삶과 사상을 우리의 몸과 마음으로 체화하는 지극한 祈禱로서 자기 修行이자 또 다른 成佛의 길입니다. 寫經行者들이 한 마음으로 부처님의 法音을 담고자 하는 誓願을 붓 끝에 깊이 새겨서 많은 衆生들의 마음속에 살아있는 佛性을 보여준다면 그것이 바로 사경수행의 正法眼藏이라 할 수 있을 것입니다. 나아가 華嚴世上을 장엄하는 無心한 그 붓 끝에서 마음·부처·중생이 서로 共感하고 共鳴하는 慈悲喜捨의 墨香이 온 세상으로 퍼져나갈 것임을 믿어 의심치 않습니다.

이 좋은 강좌를 위하여 직접 체본을 바탕으로 훌륭한 사경책자『華藏』을 제작해주신 김경호 선생님과 화엄선재불교연구소 실무자들에게 감사의 말씀을 드리며 올 한해 화엄원에서 진행되는 사경강좌가 衆生들의 걸림 없는 佛心을 깨우쳐 주는 無量功德으로 원만하게 회향되기를 부처님 전에 다시 한 번 간절히 기원합니다. 저 자신부터 올 한해는 신라백지묵서화엄경을 사경하신 연기스님의 마음이 되어 각황전 부처님 전에 두 손 모아 사경발원문을 올립니다.

我今誓願盡未來　　所成經典不爛壞

假使三灾破大千　　此經与空不散破

若有衆生於此經　　見佛聞經敬舍利

發菩提心不退轉　　修普賢因速成佛

내가 사경한 이 경전이 오래도록 전승되기를 일념으로 서원하면서

만일 큰 재난으로 삼천대천세계가 부서진다 해도

이 사경은 허공과도 같아서 훼손되지 말지어다

그래서 모든 중생들이 이 경전을 의지하여

부처님을 뵈옵고, 법문을 들으며, 사리를 받들어 모시고,

불퇴전의 자세로 보리심을 내어서

보현보살 행원으로 속히 성불하기를 기원하옵니다

佛紀 2564(2020)年　庚子年　元旦

대한불교조계종 제19교구본사 화엄사주지 草岩 德門 합장

大聖普賢菩薩

부처님의 근원은
큰 자비심입니다 중생이
있어야만 자비심을 낼 수가 있고
자비심이 있어야만 보살의 길을 가려는
보살의 길을 가려는 마음이 있어야 큰 깨달음을 이룰 수 있으며
불기 이천오백사십칠년 부처님 오신 날을 맞으며 김경호 삼가 그리고 씀

화엄경 약찬게

대방광불화엄경 용수보살약찬게

나무화장세계해 비로자나진법신

현재설법노사나 석가모니제여래

과거현재미래세 시방일체제대성

근본화엄전법륜 해인삼매세력고

보현보살제대중 집금강신신중신

족행신중도량신 주성신중주지신

보현보살제대중 집금강신신중신

근본화엄전법륜 해인삼매세력고

주산신중주림신 주약신중주가신

주하신중주해신 주수신중주화신

〈화엄경약찬게〉 (한글) 35.4 / 140.5cm 백지, 먹 권자장

주풍신중주공신 주방신중주야신

주주신중아수리 가루라왕긴나라

마후라가야차왕 제대용왕구반다

건달바왕월천자 일천자중도리천

야마천왕도솔천 화락천왕타화천

대범천왕광음천 변정천왕광과천

대자재왕불가설 보현문수대보살

법혜공덕금강당 금강장급금강혜

광염당급수미당 대덕성문사리자

급여비구해각등 우바새장우바이

선재동자동남녀 기수무량불가설

선재동자선지식 문수사리최제일

덕운해운선주승　미가해탈여해당

휴사비목구사선　승열바라자행녀

선견자재주동자　구족우바명지사

법보계장여보안　무염족왕대광왕

무동우바변행외　우바리화장자인

바시리선무상승　사자빈신바수밀

비슬지라거사인　관자재존여정취

대천안주주지신　바산바연주야신

보덕정광주야신　희목관찰중생신

보구중생묘덕신　적정음해주야신

수호일체주야신　개부수화주야신

대원정진력구호　묘덕원만구바녀

마야부인천주광　변우동자중예각

현승견고해탈장　묘월장자무승군

최적정바라문자　덕생동자유덕녀

미륵보살문수등　보현보살미진중

어차법회운집래　상수비로자나불

어연화장세계해　조화장엄대법륜

시방허공제세계　역무여시상설법

욱륵륵사급여삼　일십일일역무일

세주묘엄여래상　보현삼매세계성

화장세계노사나　여래명호사성제

광명각품문명품　정행현수수미정

수미정상게찬품　보살십주범행품

발심공덕명법품 불승야마천궁품

야마천궁게찬품 십행품여무진장

불승도솔천궁품 도솔천궁게찬품

십회향급십지품 십정십통십인품

아승지품여수량 보살주처불부사

여래십신상해품 여래수호공덕품

보현행급여래출 이세간품입법계

시위십만게송경 삼십구품원만고

풍송차경신수지 초발심시변정각

안좌여시국토해 시명비로자나불

화 엄 경 약 찬 게

원컨대 이 사성의 공덕이

일체 세간에 두루 미치어

나와 더불어 모든 중생이

나 함께 성불하여지이다

불기 이오사오년 봄 김경호 돈수근서

華嚴經畧纂偈

華嚴経略纂偈

龍樹菩薩畧纂

大方廣佛華嚴経　龍樹菩薩略纂偈

南無華藏世界海　毘盧遮郍眞法身

現在説法盧舍郍　釋迦牟尼諸如來

過去現在未來世　十方一切諸大聖

根本華嚴轉法輪　海印三昧勢力故

普賢菩薩諸大衆　執金剛神身衆神

足行神衆道場神　主城神衆主地神

主山神衆主林神　主藥神衆主稼神

主河神衆主海神　主水神衆主火神

主風神衆主空神　主方神衆主夜神

主晝神眾阿修羅　迦樓羅王緊那羅

摩睺羅伽夜叉王　諸大龍王鳩槃茶

乾達婆王月天子　日天子眾忉利天

夜摩天王兜率天　化樂天王他化天

大梵天王光音天　遍淨天王廣果天

大自在王不可說　普賢文殊大菩薩

法慧功德金剛幢　金剛藏及金剛慧

光焰幢及湏彌幢　大德聲聞舍利子

及與比丘海覺等　優婆塞長優婆夷

善財童子童男女　其數無量不可說

善財童子善知識　文殊舍利最第一

德雲海雲善住僧　彌伽解脫與海幢

休捨眾目瞿沙仙　　滕熱婆羅慈行女

善見自在主童子　　具足優婆明智士

法寶髻長與普眼　　無厭足王大光王

不動優婆遍行外　　優鉢羅華長者人

婆施羅船無上勝　　獅子頻伸婆湏密

毘瑟祇羅居士人　　觀自在尊與正趣

大天安住主地神　　婆珊婆演主夜神

普德淨光主夜神　　喜目觀察眾生神

普救眾生妙德神　　寂靜音海主夜神

守護一切主夜神　　開敷樹花主夜神

大願精進力救護　　妙德圓滿瞿婆女

摩耶夫人天主光　　遍友童子眾藝覺

賢勝堅固解脫長　妙月長者無勝軍

最寂靜婆羅門者　德生童子有德女

彌勒菩薩文殊等　普賢菩薩微塵眾

於此法會雲集來　常隨毘盧遮郍佛

於蓮華藏世界海　造化莊嚴大法輪

十方虛空諸世界　亦復如是常說法

六六六四及與三　一十一一亦復一

世主妙嚴如來相　普賢三昧世界成

華藏世界盧舍郍　如來名號四聖諦

光明覺品問明品　淨行賢首須彌頂

須彌頂上偈讚品　菩薩十住梵行品

發心功德明法品　佛昇夜摩天宮品

夜摩天宮偈讚品　十行品與無盡藏

佛昇兜率天宮品　兜率天宮偈讚品

十迴向及十地品　十定十通十忍品

阿僧祇品與壽量　菩薩住處佛不思

如来十身相海品　如来隨好功德品

普賢行及如来品　離世間品入法界

是爲十萬偈頌経　三十九品圓滿教

諷誦此経信受持　初發心時便正覺

安坐如是國土海　是名毘盧遮那佛

大方廣佛華嚴経　龍樹菩薩略纂偈

華嚴経畧篡偈

義相祖師法性偈

法性圓融無二相　諸法不動本来寂

無名無相絕一切　證智所知非餘境

真性甚深極微妙　不守自性隨緣成

一中一切多中一　一即一切多即一

一微塵中含十方　一切塵中亦如是

無量遠劫即一念　一念即是無量劫

九世十世互相即　仍不雜亂隔別成

初發心時便正覺　生死涅槃常共和

義相祖師 法性偈

理事冥然無分別　十佛普賢大人境
能仁海印三昧中　繁出如意不思議
雨寶益生滿虛空　眾生隨器得利益
是故行者還本際　叵息妄想必不得
無緣善巧捉如意　歸家隨分得資糧
以陁羅尼無盡寶　莊嚴法界實寶殿
窮坐實際中道床　舊來不動名為佛

大方廣佛華嚴經

南無蓮華藏世界海

現在說法盧舍那

過去現在未來世

根本華嚴轉法輪

普賢菩薩諸大眾

呂行神眾道場神

主山神眾主林神

龍樹菩薩略纂偈

毘盧遮那真法身

釋迦牟尼諸如來

十方一切諸大聖

海印三昧勢力故

執金剛神身眾神

主城神眾主地神

主藥神眾主稼神

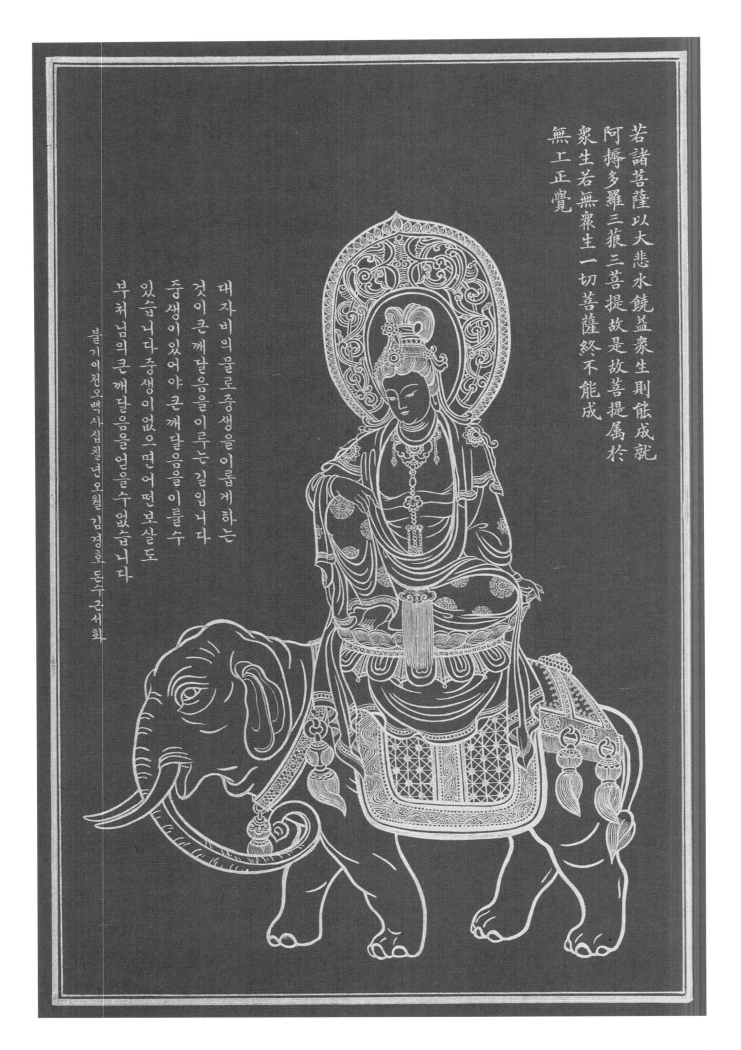

若諸菩薩以大悲水饒益衆生則能成就
阿耨多羅三藐三菩提故是故菩提屬於
衆生若無衆生一切菩薩終不能成
無上正覺

대자비의 물로 중생을 이롭게 하는
것이 큰 깨달음을 이루는 길입니다
중생이 있어야 큰 깨달음을 이룰수
있습니다 중생이 없으면 어떤보살도
부처님의 큰 깨달음을 얻을수없습니다

불기 이천오백사십칠년 오월 김정호 돈수근서화

28

30

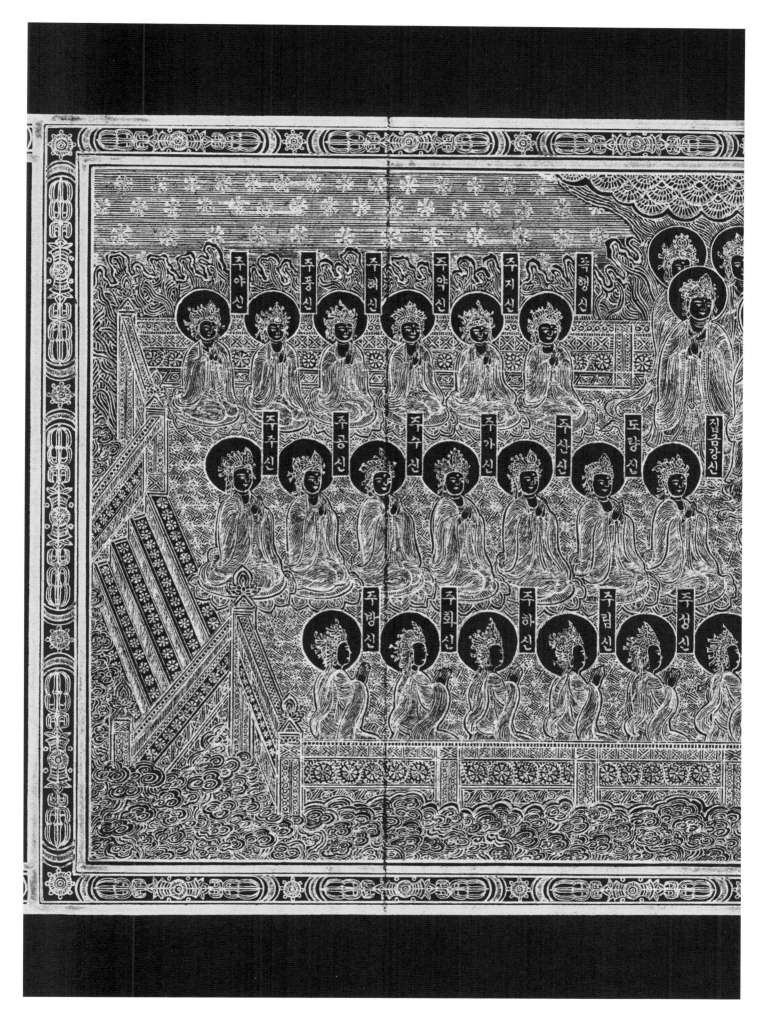

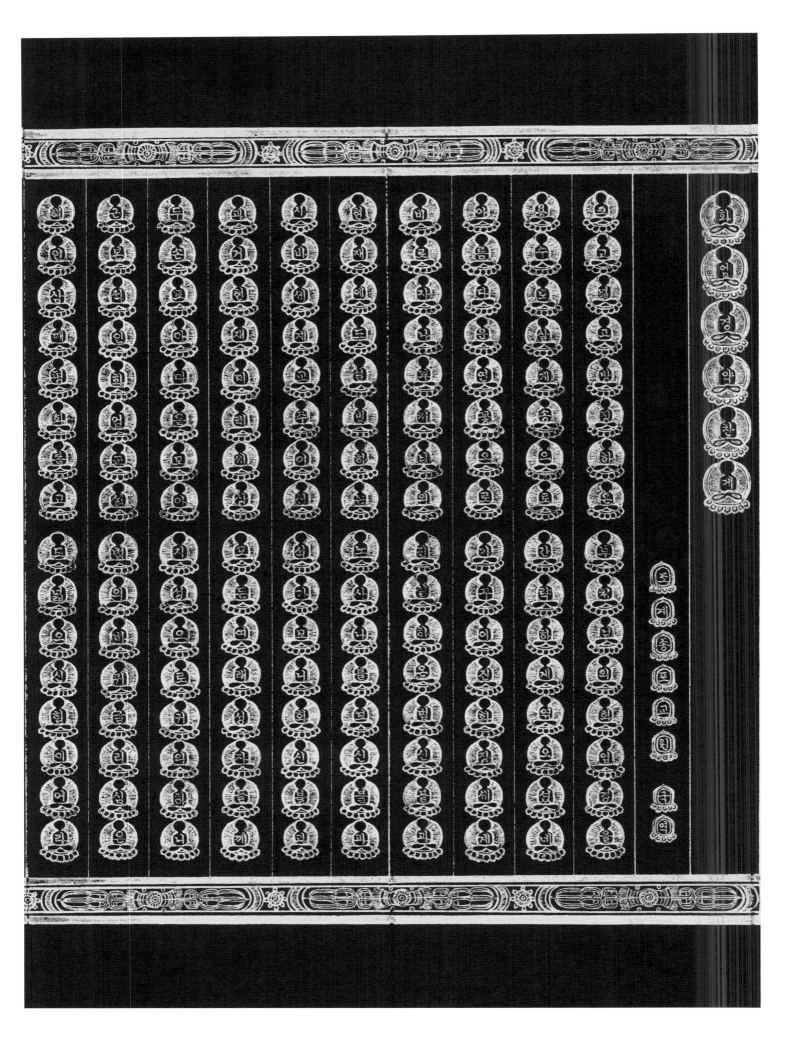

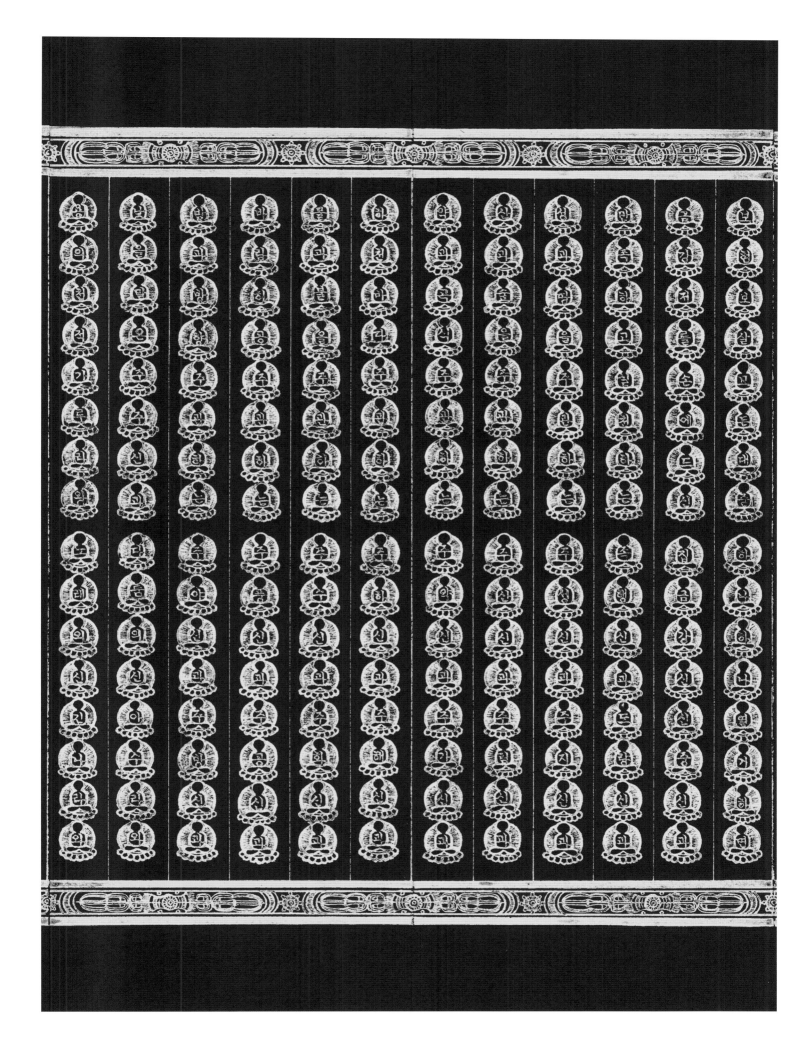

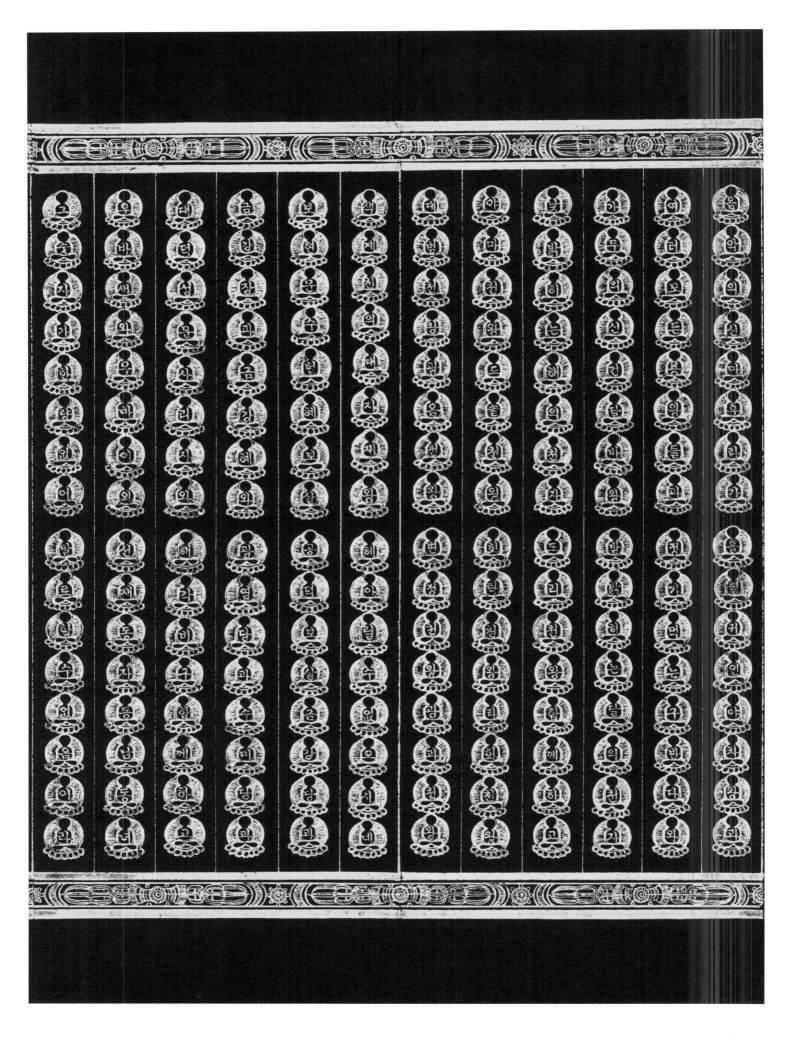

34

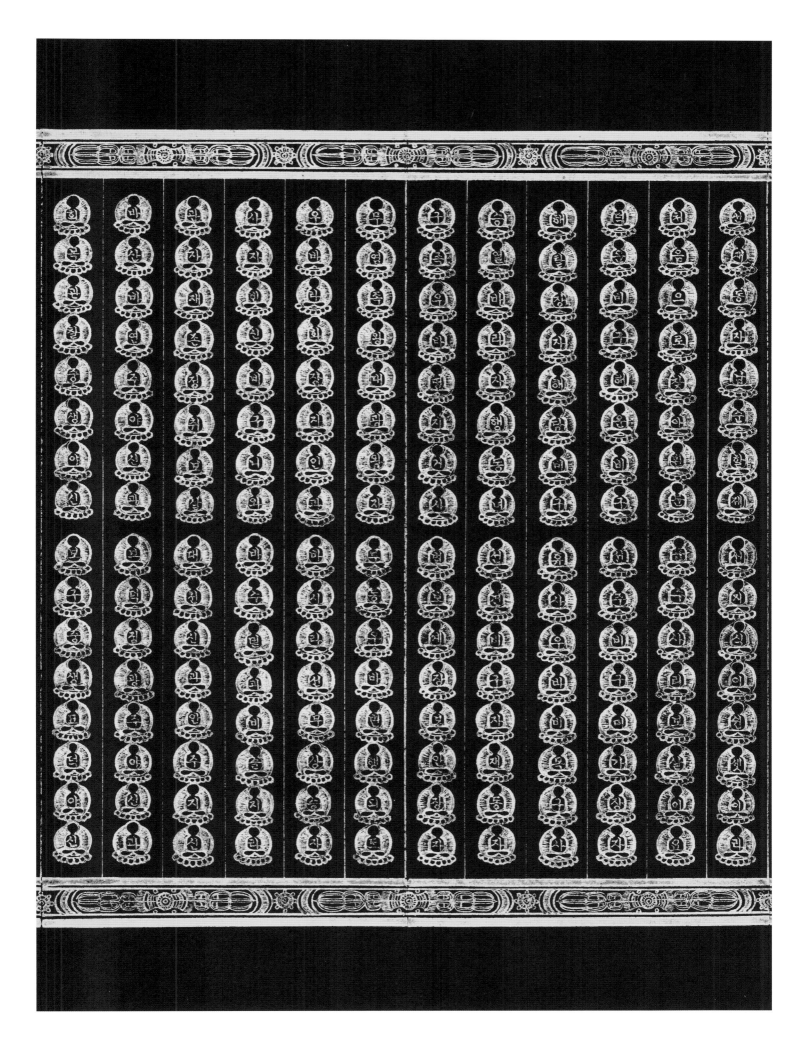

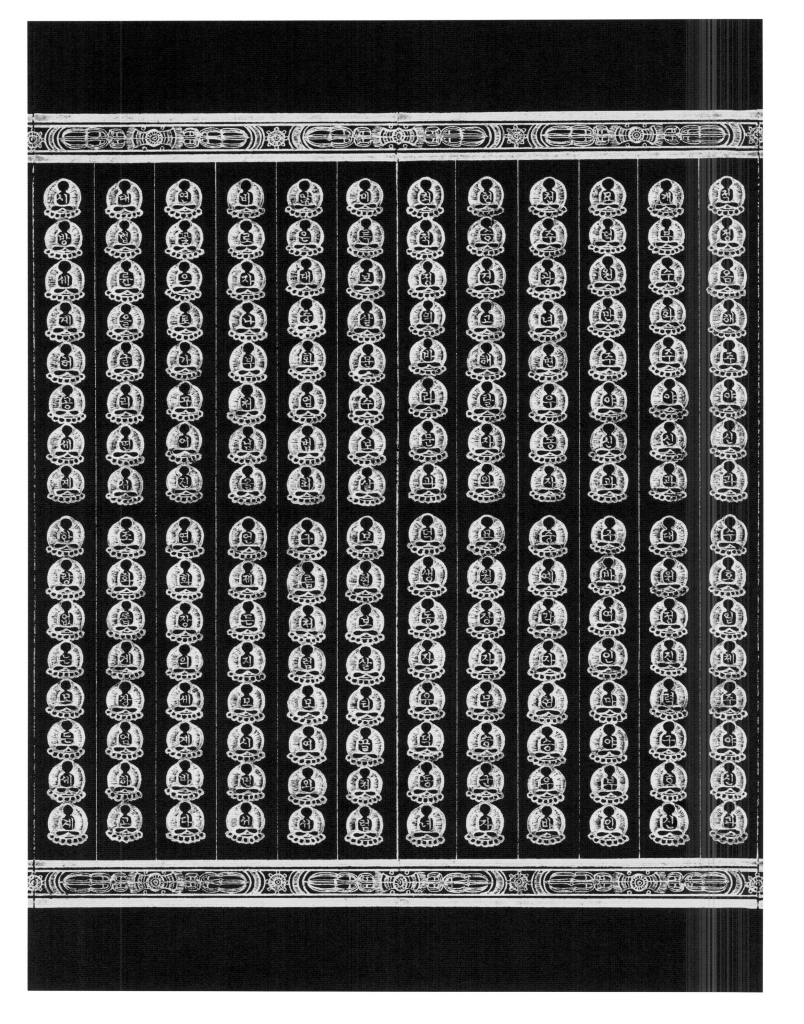

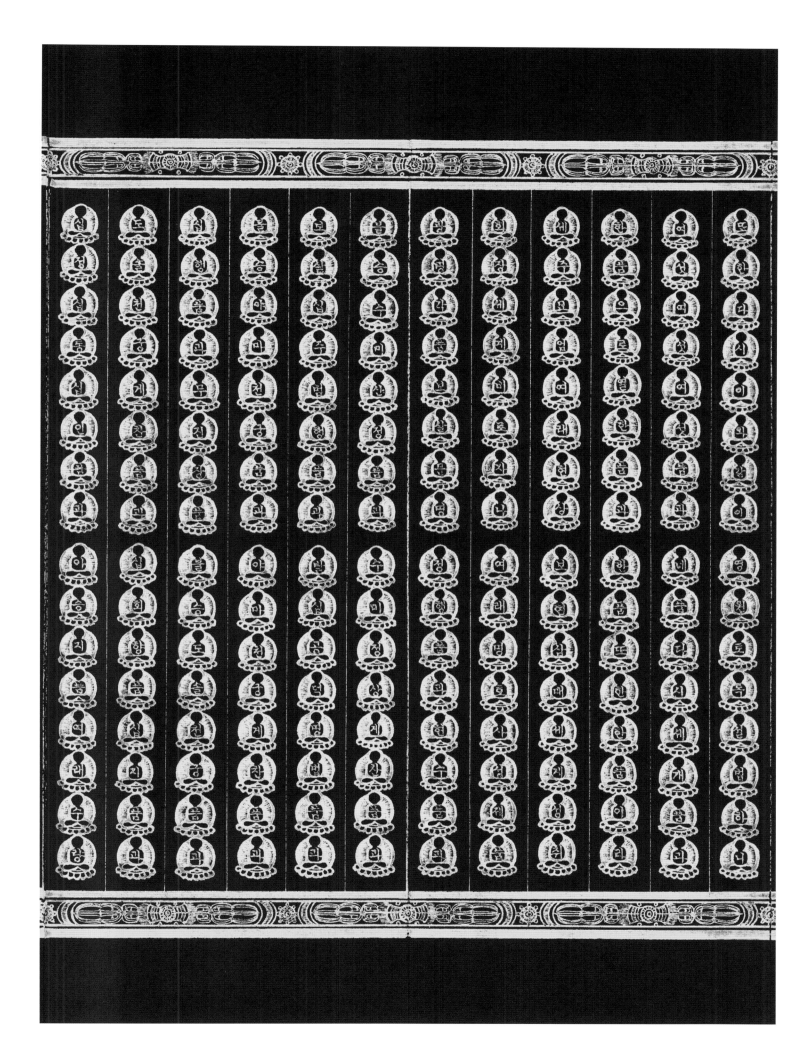

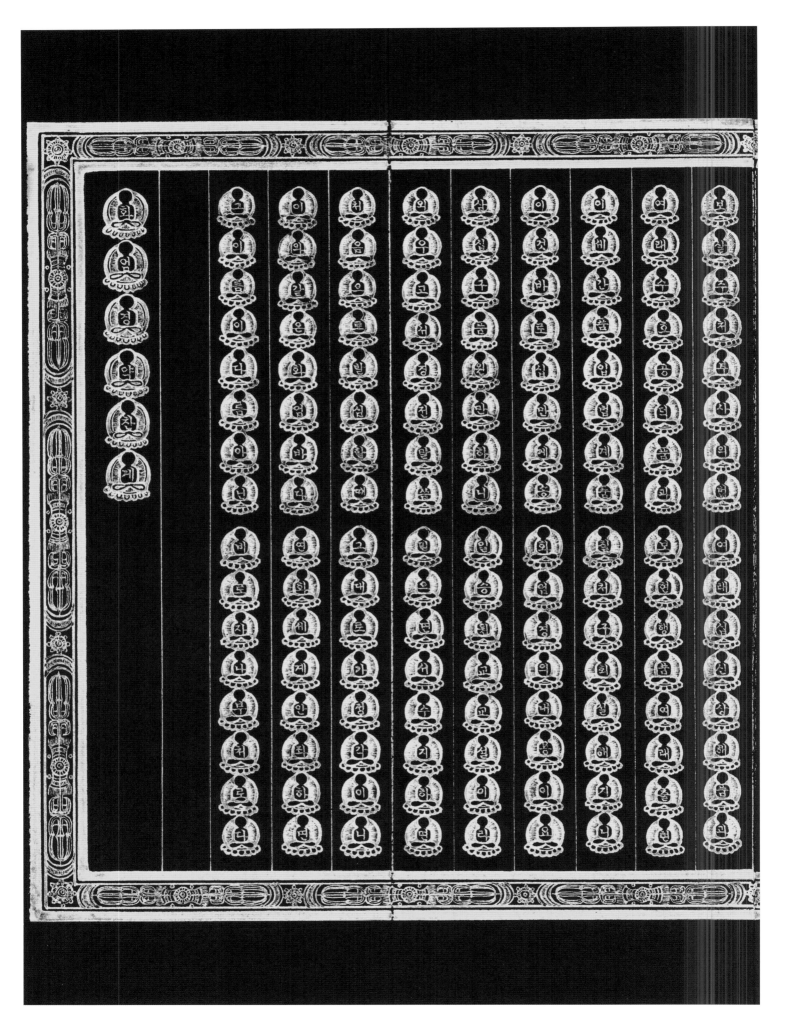

화엄경약찬게

용수보살 약찬

대방광불화엄경 용수보살약찬게

나무화장세계해 비로자나진법신

현재설법노사나 석가모니제여래

과거현재미래세 시방일체제대성

근본화엄전법륜 해인삼매세력고

보현보살제대중 집금강신신중신

족행신중도량신 주성신중주지신

근본화엄전법륜 주약신중주가신

주산신중주림신 주약신중주가신

주하신중주해신 주수신중주화신

주풍신중주공신 주방신중주야신

주주신중아수라 가루라왕긴나라

마후라가야차왕 제대용왕구반다

건달바왕월천자 일천자중도리천

야마천왕도솔천 화락천왕타화천

대범천왕광음천 변정천왕광과천

대자재왕불가설 보현문수대보살

법혜공덕금강당 금강장급금강혜

광염당급수미당 대덕성문사리자

금여비구해각등 우바새장우바이

선재동자동남녀 기수무량불가설

선재동자선지식 문수사리최제일

덕운해운선주승 미가해탈여해당

휴사비목구사선 승열바라자행녀

선견자재주동자 구족우바명지사

법보계장여보안 무염족왕대광왕

부동우바변행외 우바라화장자인

바시라선무상승 사자빈신바수밀

비슬지라거사인 관자재존여정취

대천안주주지신 바산바연주야신

보덕정광주야신 희목관찰중생신

보구중생묘덕신 적정음해주야신

수호일체주야신 개부수화주야신

대원정진력구호 묘덕원만구바녀

마야부인천주광 변우동자중예각
현승견고해탈장 묘월장자무승군
최적정바라문자 덕생동자유덕녀
미륵보살문수등 보현보살미진중
어차법회운집래 상수비로자나불
어연화장세계해 조화장엄대법륜
시방허공제세계 역부여시상설법
육륙륙사급여삼 일십일역부일
세주묘엄여래상 보현삼매세계성
화장세계노사나 여래명호사성제
광명각품문명품 정행현수수미정
수미정상게찬품 보살십주범행품

발심공덕명법품 불승야마천궁품

야마천궁게찬품 십행품여무진장

불승도솔천궁품 도솔천궁게찬품

십회향급십지품 십정십통십인품

아승지품여수량 보살주처불부사

여래십신상해품 여래수호공덕품

보현행급여래출 이세간품입법계

시위십만게송경 삼십구품원만교

풍송차경신수지 초발심시변정각

안좌여시국토해 시명비로자나불

화엄경약찬게

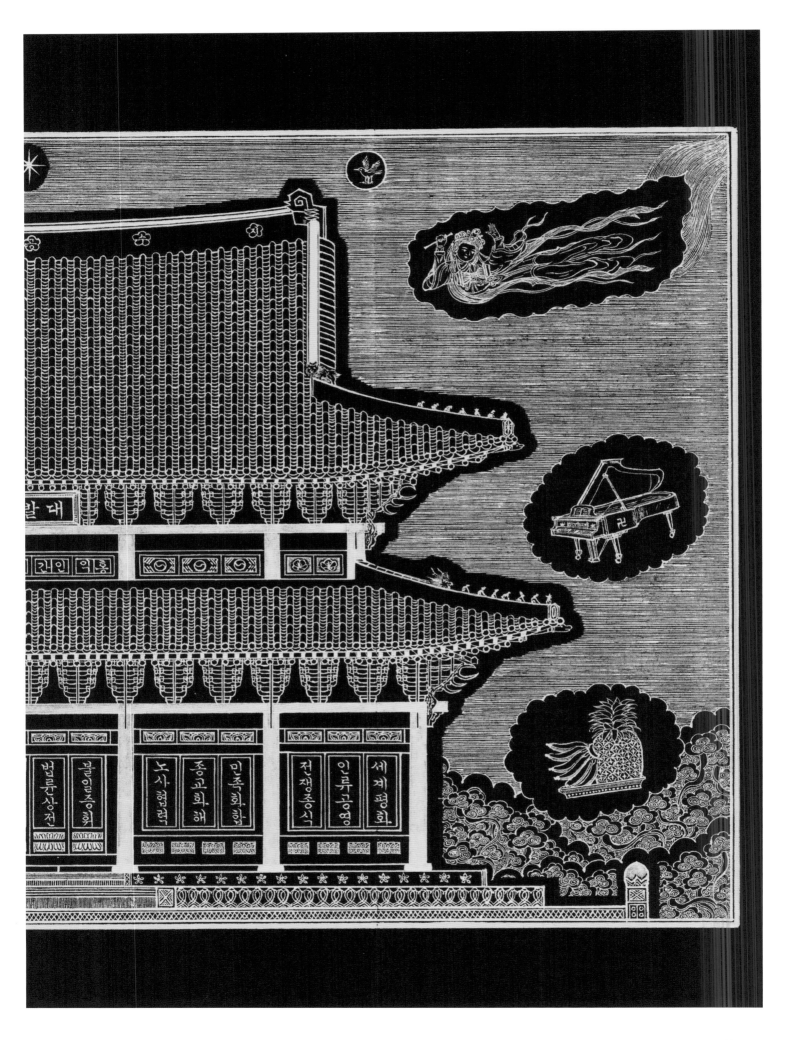

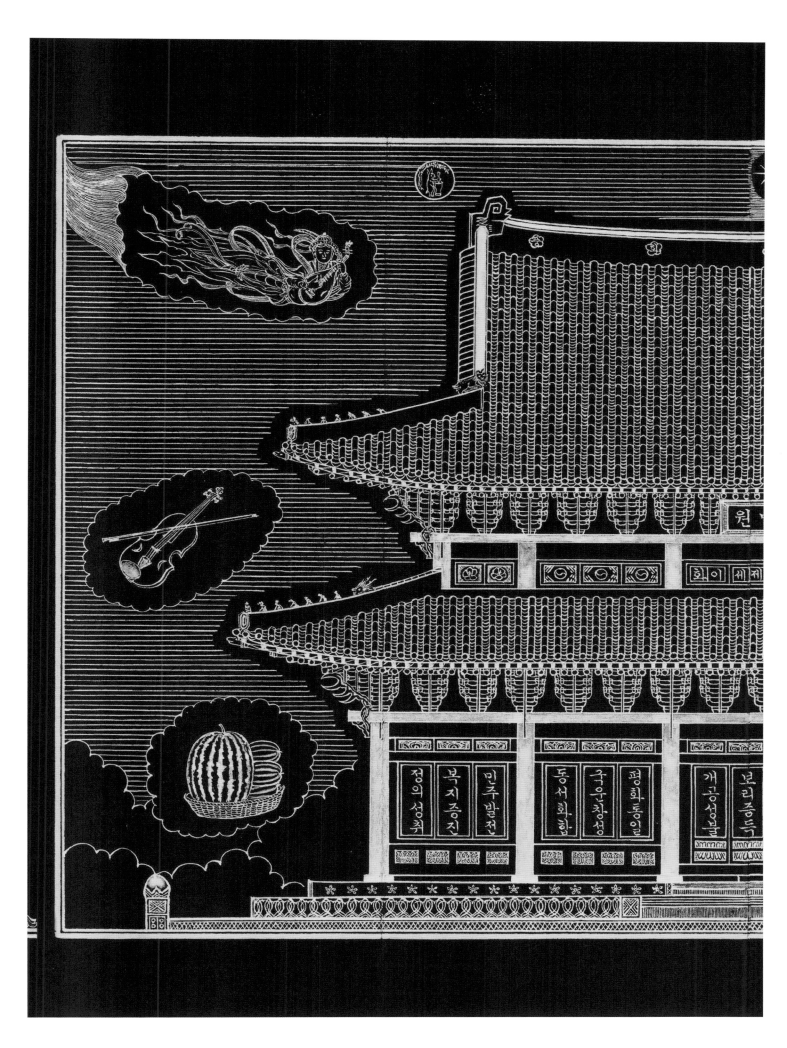

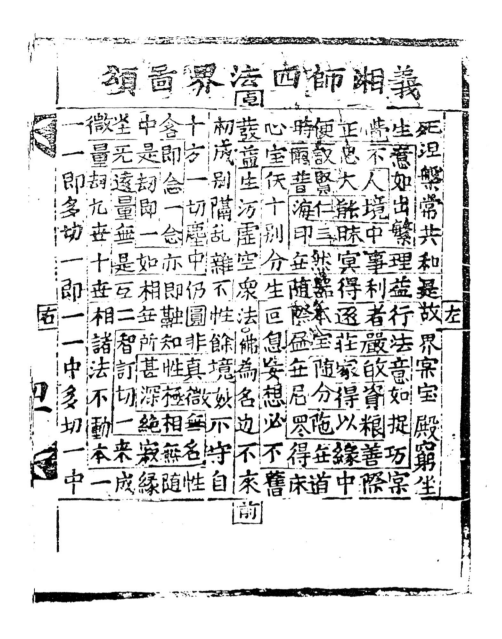

〈화엄일승법계도〉에 대하여

* 신라의 의상(義湘, 義相 625~702)대사께서 중국에서 화엄경 사상을 7언 30구 210자로 요약하여 나타낸 계송이다. 내용은 자리행과 이타행 및 수행의 방편과 이익을 밝히는 것으로 구성되어 있다. 여기에는 깨달음의 내용도 있고 연기의 체體를 밝힌 부분도 있으며 이치와 작용, 현상계의 법을 분별하기도 하였다. 그리고 화엄의 시간관과 우주관, 수행의 단계, 방법, 이익 등을 밝히는 순서로 진행되고 있다.

법계도의 흰색 종이 위의 붉은 줄(수행자의 길을 상징)과 검은색 글자는 삼종세간을, 글이 한 줄로 되어 있음은 여래의 일음一音을, 4면 4각은 사섭법四攝法과 사무량심四無量心을 나타낸 것이고 시문詩文의 시종始終은 수행의 방편에 인과가 있음을 표현한 것이며 법法과 불佛이 중간에 위치한 것은 법성法性 안에 중도中道의 공용이 있음을 표현한 것이다. 이와 같이 모든 요소들이 각각의 의미를 지니고 있다.

옛날에 절에서는 아침 저녁으로 법성게를 외우면서 아침에는 종체기용從體起用으로 왼쪽으로 돌고 저녁에는 섭용귀체攝用歸體로서 오른쪽으로 돌기도 하였다.

華嚴一乘法界圖

法性圓融無二相　諸法不動本來寂
無名無相絕一切　證智所知非餘境
真性甚深極微妙　不守自性隨緣成
一中一切多中一　一即一切多即一
一微塵中含十方　一切塵中亦如是
無量遠劫即一念　一念即是無量劫
九世十世互相即　仍不雜亂隔別成
初發心時便正覺　生死涅槃常共和
理事冥然無分別　十佛普賢大人境
能仁海印三昧中　繁出如意不思議
雨寶益生滿虛空　眾生隨器得利益
是故行者還本際　叵息妄想必不得
無緣善巧捉如意　歸家隨分得資糧
以陀羅尼無盡寶　莊嚴法界實寶殿
窮坐實際中道床　舊來不動名為佛

佛紀二五四六年　釋迦佛成道日　龍潭金景浩頓首敬書

화엄일승법계도

일-미-진-중-함-시　초-발-심-시-변-정　각-생　사
일-량-무-시-즉-방　성-익-보-우-의-사　부-의-여　열-반-상-공
즉-겁-원-겁-념-일　별-생-불-보-현-인　여-경-출　화-시
다-구-량-즉-일-체　격-만-십-해-인-삼　중-이　반-상
체-세-무-념-여-진　란-허-별-인-삼-매　중-명　시-고
일-십-시-역-중-잉　잡-공-분-무-연-기　사-이　계-실
즉-세-상-즉-잉-불　불-중-생-수-기-득　이-익　보-전
일-상-이-무-융-원　성-법-파-제-본-환　자-행　중-좌
중-제-지-소-지-비　여-불-식-진-보-장　엄-법　실-중
일-법-증-심-성-진　경-위-망-무-수-가　의-여　보-도
중-부-체-심-극-미　묘-명-진-보-장　거-자　착-제
다-동-일-절-상-무　불-동-필-리-다-이　량-연-선　실
체-본-래-적-무-명　수-부-부-득-무-연　선-고　좌
일-중-일-성-연-수-성-자　래-구-상-도-중-제-실　좌

쏨 가삼 호경김 며으맛믈일 도성 님처복 년육십사백오천이 기불

화엄경 약찬게
의상조사법성게
화엄일승법계도
제2부

화엄경 약찬게

대방광불화엄경 용수보살약찬게

나무화장세계해 비로자나진법신

현재설법노사나 석가모니제여래

과거현재미래세 시방일체제대성

근본화엄전법륜 해인삼매세력고

보현보살제대중 집금강신신중신

족행신중도량신 주성신중주지신

보현보살제대중 집금강신신중신

주산신중주림신 주약신중주가신

주하신중주해신 주수신중주화신

주풍신중주공신　주방신중주야신

주주신중아수리　가루라왕긴나라

마후라가야차왕　제대용왕구반다

건달바왕월천자　일천자중도리천

야마천왕도솔천　화락천왕타화천

대범천왕광음천　변정천왕광과천

대자재왕불가설　보현문수대보살

법혜공덕금강당　금강장급금강혜

광염당급수미당　대덕성문사리자

금여비구해각등　우바새장우바이

선재동자동남녀　기수무량불가설

선재동자선지식　문수사리최제일

〈화엄경약찬게〉 (한글) 35.4 / 140.5cm 백지, 먹　권자장

덕운해운선주승　미가해탈여해당

휴사비목구사선　승열바라자행녀

선견자재주동자　구족우바명지사

법보계장여보안　무염족왕대광왕

무동우바변행외　우바라화장자인

바시라선무상승　사자빈신바수밀

비슬지라거사인　관자재존여정취

대천안주주지신　바산바연주야신

보덕정광주야신　희목관찰중생신

보구중생묘덕신　적정음해주야신

수호일체주야신　개부수화주야신

대원정진력구호　묘덕원만구바녀

마야부인천주광 변우동자중예각

현승견고해탈장 묘월장자무승군

최적정바라문자 덕생동자유덕녀

미륵보살문수등 보현보살미진중

어차법회운집래 상수비로자나불

어연화장세계해 조화장엄대법륜

시방허공제세계 역부여시상설법

육륙사급여삼 일십일일역부일

세주묘엄여래상 보현삼매세계성

화장세계노사나 여래명호사성제

광명각품문명품 정행현수수미정

수미정상게찬품 보살십주법행품

발심공덕명법품 불승야마천궁품

야마천궁게찬품 십행품여무진장

불승도솔천궁품 도솔천궁게찬품

십회향급십지품 십정십통십인품

아승지품여수량 보살주처불부사

여래십신상해품 여래수호공덕품

보현행급여래출 이세간품입법계

시위십만게송경 삼십구품원만고

풍송차경신수지 초발심시변정각

안좌여시국도해 시명비로자나불

화엄경약찬게

뭔커께 이 사성의 공덕이

일체 세간에 두루 미치어

나와 더불어 모든 중생이

다 함께 청불하여지이다

불기 이오사오년 봄 김경호 돈수근서 🔲🔲

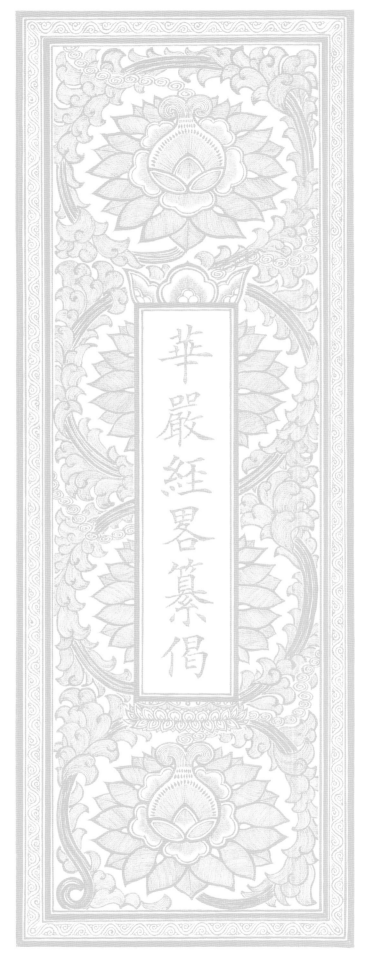

華嚴經畧纂偈

華嚴経略纂偈　　龍樹菩薩畧纂

大方廣佛華嚴経　龍樹菩薩略纂偈

南無華藏世界海　毘盧遮那真法身

現在說法盧舍那　釋迦牟尼諸如来

過去現在未来世　十方一切諸大聖

根本華嚴轉法輪　海印三昧勢力故

普賢菩薩諸大眾　執金剛神身眾神

足行神眾道場神　主城神眾主地神

主山神眾主林神　主藥神眾主稼神

主河神眾主海神　主水神眾主火神

主風神眾主空神　主方神眾主夜神

主畫神眾阿修羅　迦樓羅王緊那羅

摩睺羅伽夜义王　諸大龍王鳩槃茶

乾達婆王月天子　日天子眾忉利天

夜摩天王兜率天　化樂天王他化天

大梵天王光音天　遍淨天王廣果天

大自在王不可說　普賢文殊大菩薩

法慧功德金剛幢　金剛藏及金剛慧

光焰幢及須彌幢　大德聲聞舍利子

及與比丘海覺等　優婆塞長優婆夷

善財童子童男女　其數無量不可說

善財童子善知識　文殊舍利最第一

德雲海雲善住僧　彌伽解脫與海幢

60

休捨毘目瞿沙仙　勝熱婆羅慈行女
善見自在主童子　具足優婆明智士
法寶髻長與普眼　無厭足王大光王
不動優婆遍行外　優鉢羅華長者人
婆施羅船無上勝　獅子頻伸婆湏密
毘瑟祗羅居士人　觀自在尊與正趣
大天安住主地神　婆珊婆演主夜神
普德淨光主夜神　喜目觀察衆生神
普救衆生妙德神　寂靜音海主夜神
守護一切主夜神　開敷樹花主夜神
大願精進力救護　妙德圓滿瞿婆女
摩耶夫人天主光　遍友童子衆藝覺

賢勝堅固解脫長　妙月長者無勝軍

㝡寂静婆羅門者　德生童子有德女

彌勒菩薩文殊等　普賢菩薩微塵衆

於此法會雲集來　常隨毘盧遮那佛

於蓮華藏世界海　造化莊嚴大法輪

十方虛空諸世界　亦復如是常說法

六六六四及與三　一十一一亦復一

世主妙嚴如來相　普賢三昧世界成

華藏世界盧舍那　如來名號四聖諦

光明覺品問明品　淨行賢首須彌頂

須彌頂上偈讚品　菩薩十住梵行品

發心功德明法品　佛昇夜摩天宮品

夜摩天宮偈讚品　十行品與無盡藏
佛昇兜率天宮品　兜率天宮偈讚品
十囘向及十地品　十定十通十忍品
阿僧祇品與壽量　菩薩住處佛不思
如來十身相海品　如來隨好功德品
普賢行及如來品　離世間品入法界
是為十萬偈頌經　三十九品圓滿教
諷誦此經信受持　初發心時便正覺
安坐如是國土海　是名毘盧遮那佛
大方廣佛華嚴經　龍樹菩薩略纂偈

華嚴經畧纂偈

義相祖師法性偈

法性圓融無二相　諸法不動本来寂

無名無相絕一切　證智所知非餘境

真性甚深極微妙　不守自性隨緣成

一中一切多中一　一即一切多即一

一微塵中含十方　一切塵中亦如是

無量遠劫即一念　一念即是無量劫

九世十世互相即　仍不雜亂隔別成

初發心時便正覺　生死涅槃常共和

理事冥然無分別　十佛普賢大人境

能仁海印三昧中　繁出如意不思議

雨寶益生滿虛空　衆生隨器得利益

是故行者還本際　叵息妄想必不得

無緣善巧捉如意　歸家隨分得資粮

以陁羅尼無盡寶　莊嚴法界實寶殿

窮坐實際中道床　舊來不動名爲佛

義相祖師法性偈

무진법계 찰미진수 티끌속마다　　　많고많은 보살들께 싸여계시는
극미진수 부처님들 공덕장엄을　　　깊이믿고 찬양하고 찬탄합니다
음악여신 미묘하신 온갖 말로써　　　말들마다 온갖음성 모두내어서
부처님의 깊고깊은 공덕장엄을　　　일체겁이 다하도록 찬양합니다

원컨대 이사성의 공덕이
일체세간에 두루미치어
나와더불어 모든중생이
다함께 성불하여지이다

불기이천오백사십칠년일월
석가여래성도일을 맞으며
한국사경연구회실에서
외길 김경호삼가
분향예경하고
그리고쓰다

所有十方世界中 시방세계 곳곳마다 두루 계시는
三世一切人師子 과거현재미래세의 부처님들을
我以清浄身語意 지극정성 몸과 말과 마음을 밝혀
一切徧禮盡無餘 빠짐없이 예배하고 공경합니다

普賢行願威神力 보현보살 그 신행원력한 힘으로
普現一切如來前 일체 모든 부처님전 몸을 나투고
一身復現刹塵身 날낱몸은 찰진수몸 또 나투어서
一一徧禮刹塵佛 부처님을 예배하고 공경합니다

불기 이오사칠년 초파일을 맞으며
우주법계에 불은 충만을 기원하면서
외길 김경호 삼가 그리고 쓰다

72

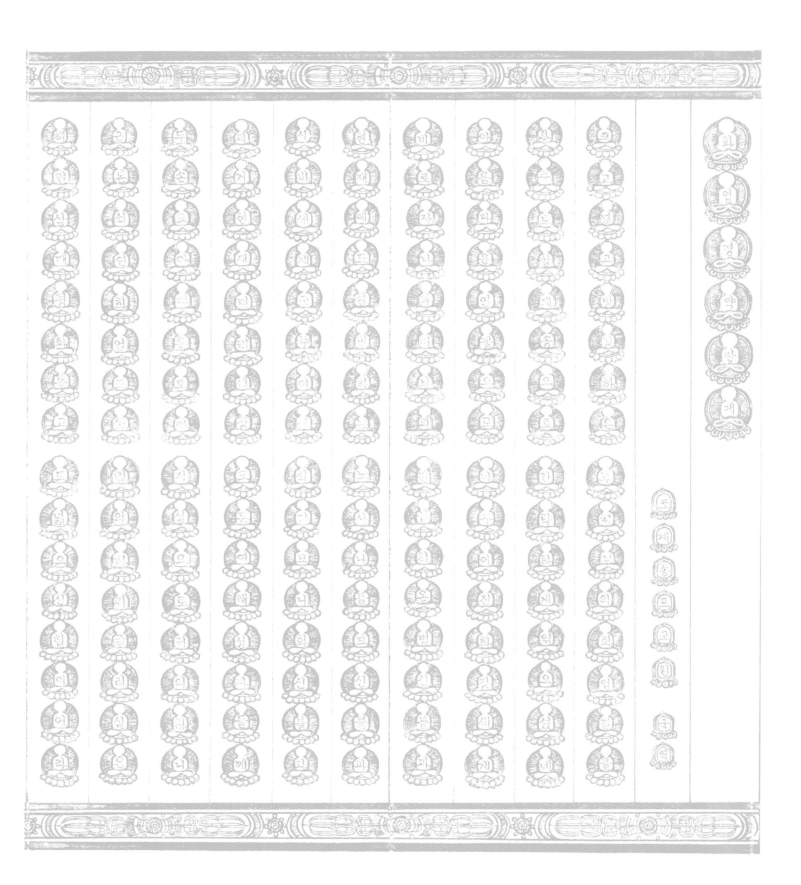

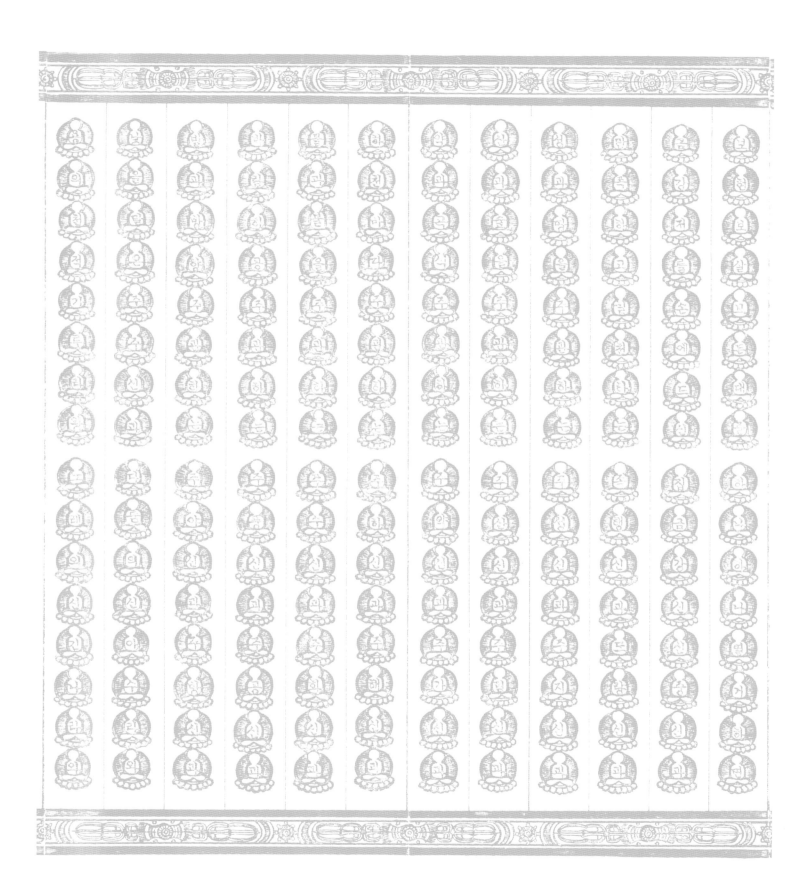

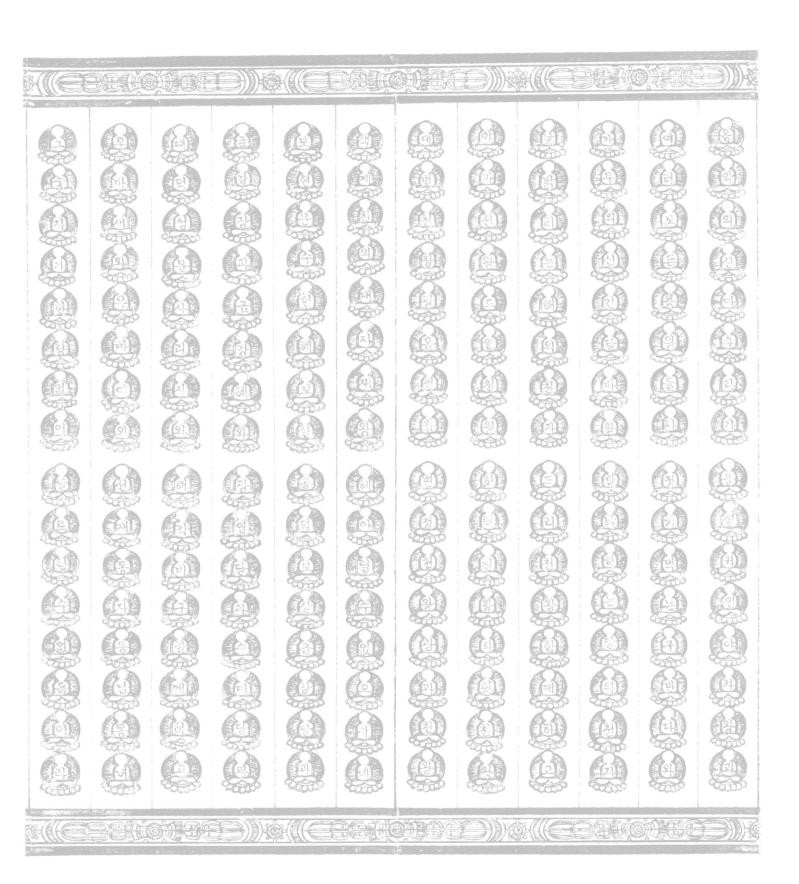

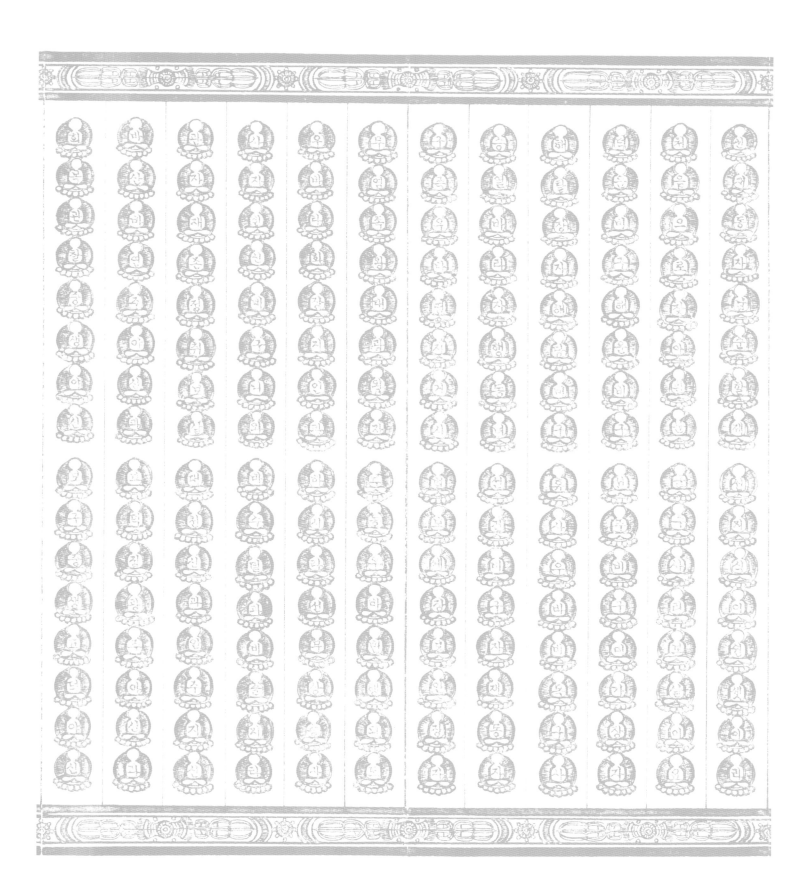

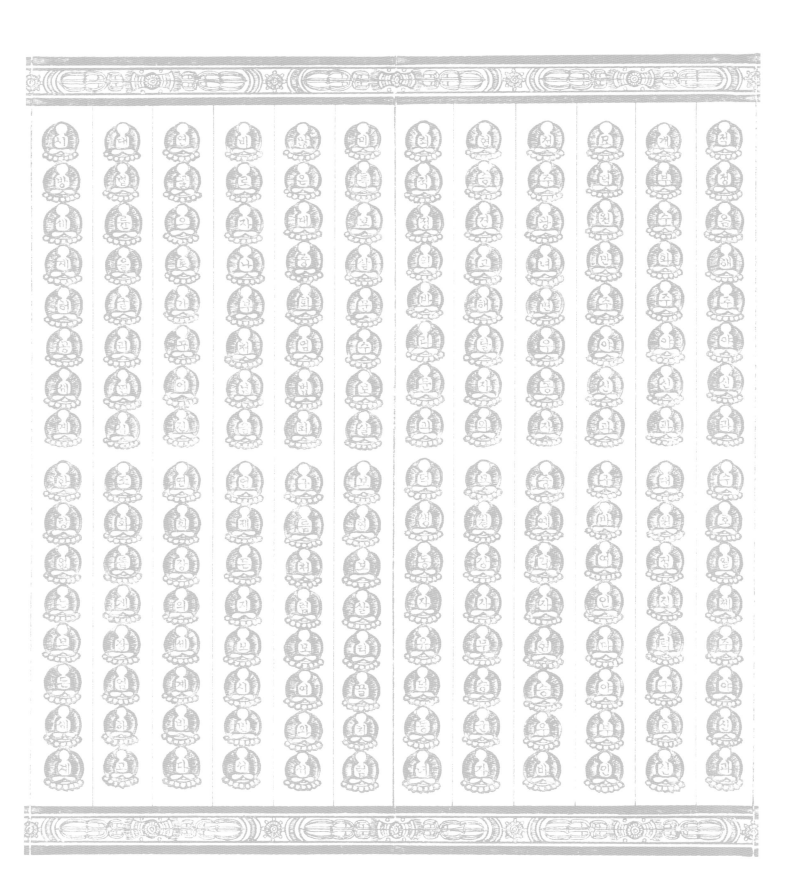

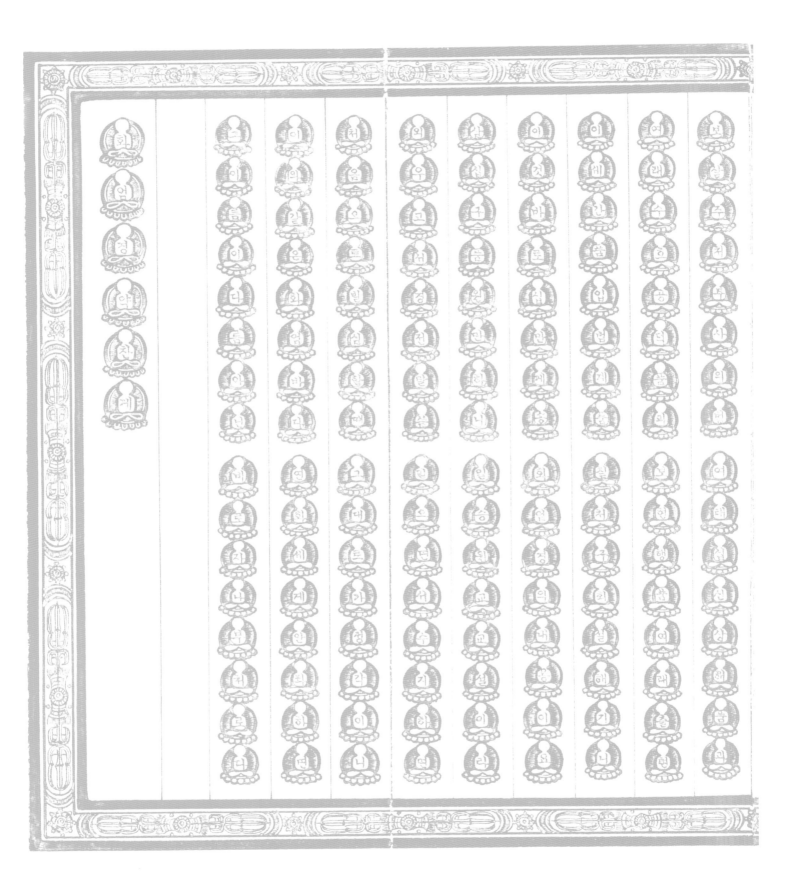

용수보살 약찬

대방광불화엄경 용수보살약찬게

나무화장세계해 비로자나진법신

현재설법노사나 석가모니제여래

과거현재미래세 시방일체제대성

근본화엄전법륜 해인삼매세력고

보현보살제대중 집금강신신중신

족행신중도량신 주성신중주지신

주산신중주림신 주약신중주가신

주하신중주해신 주수신중주화신

주풍신중주공신 주방신중주야신

주주신중아수라 가루라왕긴나라

마후라가야차왕 제대용왕구반다

건달바왕월천자 일천자중도리천

야마천왕도솔천 화락천왕타화천

대범천왕광음천 변정천왕광과천

대자재왕불가설 보현문수대보살

법혜공덕금강당 금강장급금강혜

광염당급수미당 대덕성문사리자

급여비구해각등 우바새장우바이

선재동자동남녀 기수무량불가설

선재동자선지식 문수사리최제일

덕운해운선주승 미가해탈여해당
휴사비목구사선 승열바라자행녀
선견자재주동자 구족우바명지사
법보계장여보안 무염족왕대광왕
부동우바변행외 우바라화장자인
바시라선무상승 사자빈신바수밀
비슬지라거사인 관자재존여정취
대천안주주지신 바산바연주야신
보덕정광주야신 희목관찰중생신
보구중생묘덕신 적정음해주야신
수호일체주야신 개부수화주야신
대원정진력구호 묘덕원만구바녀

마야부인천주광 변우동자중예각

현승견고해탈장 묘월장자무승군

최적정바라문자 덕생동자유덕녀

미륵보살문수등 보현보살미진중

어차법회운집래 상수비로자나불

어연화장세계해 조화장엄대법륜

시방허공제세계 역부여시상설법

육륙륙사급여삼 일십일일역부일

세주묘엄여래상 보현삼매세계성

화장세계노사나 여래명호사성제

광명각품문명품 정행현수수미정

수미정상게찬품 보살십주범행품

발심공덕명법품 불승야마천궁품

야마천궁게찬품 십행품여무진장

불승도솔천궁품 도솔천궁게찬품

십회향급십지품 십정십통십인품

아승지품여수량 보살주처불부사

여래십신상해품 여래수호공덕품

보현행급여래출 이세간품입법계

시위십만게송경 삼십구품원만교

풍송차경신수지 초발심시변정각

안좌여시국토해 시명비로자나불

화엄경약찬게

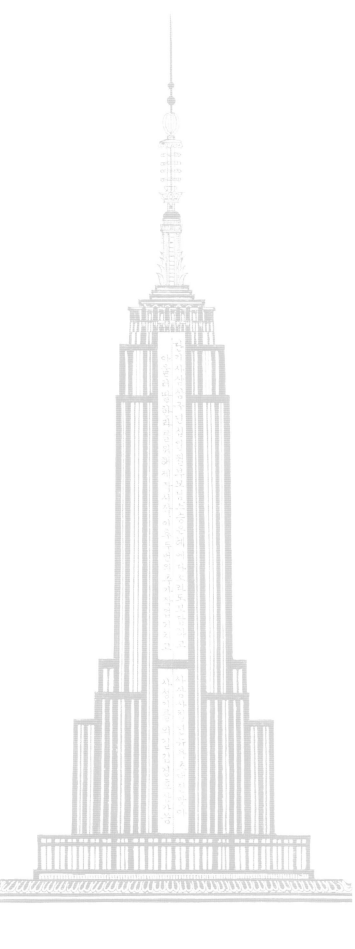

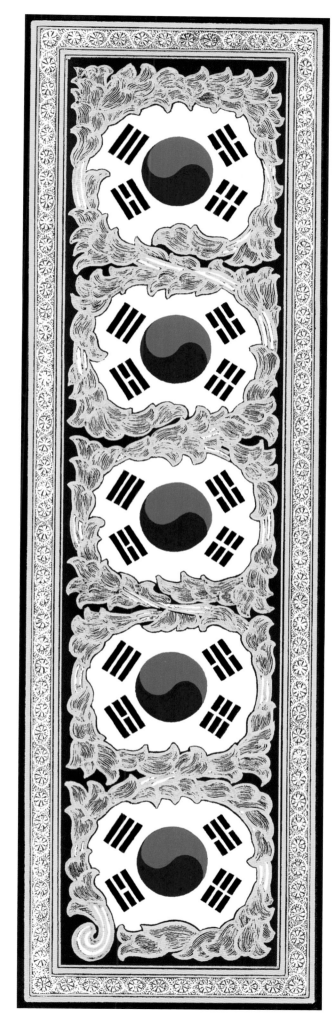

華嚴一乘法界圖

法性圓融無二相　諸法不動本來寂
無名無相絕一切　證智所知非餘境
真性甚深極微妙　不守自性隨緣成
一中一切多中一　一即一切多即一
一微塵中含十方　一切塵中亦如是
無量遠劫即一念　一念即是無量劫
九世十世互相即　仍不雜亂隔別成
初發心時便正覺　生死涅槃常共和
理事冥然無分別　十佛普賢大人境
能仁海印三昧中　繁出如意不思議
雨寶益生滿虛空　眾生隨器得利益
是故行者還本際　叵息妄想必不得
無緣善巧捉如意　歸家隨分得資糧
以陀羅尼無盡寶　莊嚴法界實寶殿
窮坐實際中道床　舊來不動名為佛

佛紀二五四六年釋迦佛成道日晨　龍潭金景浩頓首敬書

화엄일승법계도

일-미-진-중-함-시　초-발-심-시-변-정-각-생-사
일-량-무-시-즉　방　성　익-보-우-의-사-부-의　열
즉-겁-원-겁-념-일　별　생-불-보-현-대-인-여　반
다-구-랑-즉-일-체　격　만-십-해-인-능-경　출　상
체-세-무-시-여-역　진　란-허-별-인-삼-매-중　공
일-십-호-상-즉-잉　불　중-생-수-기-득-이-익　화
중-상-이-무-융-원-성　법　파-제-본-환-자-행　시
일-제-지-소-지-비-여　불　식　진-보-장-엄-법　고
중-법-증-심-성-진-경　위　망　무-수-가-귀-의　계
다-부-체-심-극-미-묘　명　상　니　분-득-자-여　실
체-동-일-절-상-무　불　수　동　필　리　다　이-량　착
일-분-래-적-무-명　불　수　부　부　득　무-연-선　고
중-일-성-연-수-성-지　래-구-상-도-중-제-실-좌

불기 이천오백사십육년 일월 ○○일 성도 ... 김경호 삼가 씀

무진법제 찰미진수 티끌속마다　많고많은 보살들께 싸여계시는
극미진수 부처님들 공덕장엄을　깊이믿고 찬양하고 찬탄합니다
음악여신 미묘하신 온갖 말로써　말들마다 온갖음성 모두내어서
부처님의 깊고깊은 공덕장엄을　일체겁이 다하도록 찬양합니다

원컨대 이사경의 공덕이
일체세간에 두루미치어
나와더불어 모든중생이
다함께 성불하여지이다

불기 이천오백사십칠년일월
석가여래성도일을 맞이며
한국사경연구실에서
외길 김경호 삼가
분향예경하고
그리고쓰다.

白花道場發願文
稽首歸依觀彼本師觀
音大聖大圓鏡智亦觀弟
子性靜本覺所有本師水月
莊嚴無盡相好亦有弟子空花
身相有漏形骸依正淨穢苦樂
不同我今以此觀音鏡中弟子之
身歸命頂禮弟子鏡中觀音大聖
敢誠頭語莫蒙加被惟願弟子生
生世世稱觀世音以為本師如彼
菩薩頂戴彌陀我亦頂戴觀音大
聖十願六向千手千眼大慈大悲
悉皆同等捨身受身此界他方隨
所住處如影隨形恒聞說法助揚
真化普令法界一切眾生誦大悲
呪念菩薩名同入圓通三昧性海
又願弟子此報盡時親承大聖放
光接引離諸怖畏身心適悅一刹
那間即得往生白華道場與諸
菩薩同聞正法入法流水念念
增明現發如來大無生忍發
願已了歸命頂禮
觀自在菩薩摩訶薩
龍潭金景浩頓首恭寫

신심이 있어 수지·독송하고 이를 *사경하거나 남으로 하여금 사경을 하도록 하며, 경전에 꽃과 향과 말향 뿌리고 須曼·瞻蔔과 阿提目多伽의 기름을 늘 태워서 이리 공양하는 자는 무량공덕 얻으리니 하늘이 가없는 것과 같이 그 복 또한 그와 같으리라.*

〈법화경 분별공덕품〉

수보리여, 어떤 선남자·선녀인이 아침에 항하수의 모래알처럼 많은 몸으로 보시하고, 낮에도 역시 항하수의 모래알처럼 많은 몸으로 보시하고, 저녁에도 역시 항하수의 모래알처럼 많은 몸을 보시한다고 하자. 이같이 한량없는 백천만억 겁 동안 보시할지라도, 어떤 사람 하나가 이 경전을 보고 믿는 마음으로 거스르지 않으면, 이 복덕이 앞서 말한 사람의 복덕보다 나을 것이니라. 하물며 <u>이 경을 사경하고, 수지독송하고, 다른 사람을 위해 일러주는 사람에게 있어서이랴.</u>

〈금강경〉

스님의 크나큰 원력에 힘입어 이번에『화장華藏』이라는 이름으로 5권의 사경 교본을 발행하게 되었습니다. 더군다나 〈화엄경 보현행원품〉·〈화엄경약찬게〉·〈화엄경 정행품〉, 이와는 성격이 다른 〈관세음보살42수진언〉·〈무구정광대다라니경〉을 함께 묶음을 흔쾌히 허락하셨습니다. 이는 원융무애의 화엄사상의 반영과 실천으로 여겨집니다.

〈관세음보살42수진언〉은 사성을 완료했을 때부터 많은 사부대중으로부터 사경 교본으로의 발행을 권유받아 왔습니다. 근기가 서로 다른 중생들이 자신의 근기에 가장 적합한 현실적인 진언을 선택하여 사경 기도를 할 수 있도록 구성되어 있기 때문입니다. 또한 전통사경의 선긋기부터 제불보살님의 수인·지물·한자·한글서예를 함께 학습할 수 있도록 구성되어 있으니 사경 초학자들에게는 가장 효과적인 체본의 역할을 할 수 있기 때문이기도 합니다. 그렇지만 단행본으로의 발행이 실행에 옮겨지지 않아 안타까움이 컸습니다. 약 20년이란 세월이 흐른 지금에 이르러서야 시절인연이 닿아 단행본으로 출간할 수 있게 됨에 무한 감사드립니다. 더하여 세계 문명사·문화사뿐만 아니라 우리나라 사경의 역사에서 매우 중요한 위치를 점하고 있는 통일신라시대의 조탑소의경전인 〈무구정광대다라니경〉까지 함께 한 세트로 발행하게 되었으니, 이 시대 사경 사업의 큰 족적이 되리라 확신합니다.

이 사경 교재 발간을 기획하고 많은 고견을 주신 교무국장 덕홍 스님, 화엄선재불교사회연구소 허 권 소장님과 화엄사성보박물관 강선정 학예연구사님을 비롯한 모든 관계자님들께 깊이 감사드립니다.

아무쪼록 이 5권의 사경 교재가 사경과 인연을 맺어 무량공덕을 쌓으시는 모든 사경수행자님들께 조금이라도 도움이 되고, 시방제불보살님의 무한 가피 속에 사경 정진할 수 있게 되길 일심으로 기원합니다.

2020년 2월　화엄사 전통사경원장　다길 김경호 두손모음

『華藏』을 엮으며

세존이시여, 제가 이 경전을 받아 지니고 읽고 외우며 다른 사람들에게도 밝혀 설하겠사오며 제가 사경하고 다른 사람들에게도 사경하기를 권하며 공경하고 존중하면서 갖가지 향기로운 꽃과 도향·가루향·말향·소향 이며 꽃다발·영락·번기·일산·풍악 등으로 공양하겠습니다. 그리고 5색의 비단 주머니에 싸서 정결한 곳에 마련된 높은 자리에 모시고 사천왕과 그 권속 및 한량없는 백천의 천신들과 함께 사경이 봉안된 곳에 나아가 공양하고 수호하겠나이다.

〈약사유리광칠불공덕본원경〉

또 어떤 사람이 깊은 신심으로 이 열 가지 원을 받아 지녀 읽고 외우거나 한 게송만이라도 사경한다면, 무간 지옥에 떨어질 죄이라도 즉시 소멸되고 이 세상에서 받은 몸과 마음의 모든 병과 모든 고뇌와 아주 작은 악 업까지라도 모두 다 소멸될 것이다.

〈화엄경 보현행원품〉

....

희유하고 희유한 선근인연입니다.

사경을 시작한 지 45년의 세월이 흘렀고, 전통사경을 개척하여 부활시키겠다는 서원을 세우고 사경 전문 전업작가로 전환하여 정진하는 한편으로는 제자들을 양성해 온 지 어느새 25년이 되어갑니다.

지난 25년의 세월 동안 전통사경의 계승과 발전을 위해 앞만 보고 달려왔습니다. 사경 발전을 위하여 저를 필요로 하는 곳이라면 국내외를 마다하지 않고 달려갔으며, 부족하지만 제가 할 수 있는 최선의 노력을 다 하고자 했습니다.

현실적으로 여러 한계에 직면하여 좌절할 때마다 큰 스승님들과 후원자님들의 격려에 힘입어 일어서기를 반복해 왔습니다. 그리하여 지금까지 사경을 지속하고 있음은 오로지 불보살님의 크나큰 가피와 사경의 공덕 덕택입니다.

모든 일은 밝은 혜안과 굳은 서원을 지닌 선지식과 시절 인연이 무르익어야만 원만한 성취를 이루는 법임을 생각할 때, 화엄사 덕문 주지스님과의 선근인연은 과거생 여러 겁 사경 인연의 결과로 여겨집니다.

20여 년 전부터 제가 사성한 모든 전통사경 작품은 교본으로의 발행을 기원하면서 제작해 왔습니다만 지금의 시점에서 볼 때 부족함이 전혀 없는 것은 아닙니다. 그렇지만 당시에는 부족한대로 최선을 다했던 작품들입니다. 그렇기에 2014년부터는 어렵게 한 권씩 전통사경 교본 시리즈로 발행을 시작했으며 2017년 5권까지 발행한 이후 3년간 중단되었습니다.

시방삼세 제불보살님들께서 이를 매우 안타깝게 여기신 것 같습니다. 하여 덕문스님같이 전통사경 복원과 부활에 굳은 원력을 지니신 선지식과 선근인연을 맺어 주신 것 같습니다. 더하여 덕문스님께서는 고려시대 이후 700년 동안 단절되었던 사경원의 전통을 잇는 전통사경원을 개설하시면서 저에게 여법한 지도를 요청하시어 21C 한국 사경문화예술 부흥을 선도하심 또한 그러한 가피의 일환으로 여겨집니다.

▫ 일러두기

– 이 책은 저자의 『백지묵서(한글)〈화엄경 약찬게〉』, 『감지금니〈화엄경 약찬게〉·〈의상조사법성계〉 합부』, 『감지금니일불일자〈화엄경 약찬게〉』, 『감지금니(한문)〈화엄일승법계도〉』, 『감지금니(한 글)〈화엄일승법계도〉』를 저본으로 하여 제작되었습니다.

– 제1부는 작품을 약간 축소하거나 확대(p.28~p.46)한 원본이고, 제2부는 따라서 쓰고 그려보는 페이지입니다.

– 제1부와 제2부의 사성기 모두 저자의 작품 그대로를 제시하였으므로, 사경의 사성일과 서명부분 은 사경수행자님의 발원과 서명으로 바꿔 서사하시길 바랍니다.

– 〈화엄경 보현행원품〉을 응용한 사경작품을 제작하는 데 도움이 될 수 있도록 저자의 응용사경작 품 6점(p.7, p.24, p.67, p.68, p.92, p.93)을 수록, 제시하였습니다.

– 사경의 개론에 대한 보다 자세한 이론은 저자의 『韓國의 寫經』을 참고하시길 바랍니다.

– 사경 수행법의 보다 자세한 내용은 『수행법 연구』(조계종출판사)를 참고하시길 바랍니다.

– 자세한 경문 서체 학습을 원하시는 분은 저자의 전통사경 교본시리즈 1~4 〈한글 반야심경〉· 〈한문 반야심경〉·〈한글 법성계〉·〈한문 법성계〉의 서체 분석을 참고하시길 바랍니다.

다길 김경호 쓴 전통사경 2

화엄경 약찬게

1판 1쇄 인쇄 ㅣ 2020년 2월 28일
1판 1쇄 발행 ㅣ 2020년 2월 28일

발 행 인 ㅣ 대한불교조계종제19교구본사 주지 초암 덕문
저　　자 ㅣ 다길 김경호
기　　획 ㅣ 화엄선재불교연구소 허 권, 김관태, 강선정
펴 낸 곳 ㅣ 한국전통사경연구원, 지리산 대 화엄사

제 작 처 ㅣ 한국전통사경연구원
출판등록 ㅣ 2013년 10월 7일, 제25100-2013-000075호
주　　소 ㅣ 03702 서울 서대문구 증가로 35-9, 202호 (연희동)
전　　화 ㅣ 02-335-2186, 010-4207-7186
E-mail ㅣ kikyeoho@hanmail.net
블 로 그 ㅣ blog.naver.com/eksrnswkths

ⓒ Kim Kyeong Ho, 2020

ISBN 979-11-87931-04-1

값 30,000원